Prawf

I modryb Maggie, gyda chariad

P.G.

I Weeda Wiseman x

J.M.

DREF WEN

Cyhoeddwyd 2007 gan Wasg y Dref Wen,
28 Ffordd yr Eglwys, Yr Eglwys Newydd,
Caerdydd CF14 2EA, ffôn 029 20617860.
Cyhoeddwyd gyntaf yn y Deyrnas Unedig yn 2007
gan Egmont Children's Books Limited,
239 Kensington High Street, Llundain W8 6SA
dan y teitl *Cake Test*.

Prawf Coginio

Testun gan

Pippa Goodhart

Darluniau gan

Jan McCafferty

Addasiad gan Elin Meek

Bananas Glas

Roedd gan y Tywysog Hywel bach nani
ddiog. Aeth e i grwydro pan oedd hi'n
cysgu.

Ch ch
ch ch ...

5

Aeth y Tywysog Hywel ar ei bedwar i'r heol a bu bron iddo ...

"Diawch!" meddai Mrs Cogyddes. "Baban pwy wyt ti?"

"Gww."

"Dim ots," meddai Mrs Cogyddes. "Dere adref gyda fi."

Dywedodd y Nani ddiog

gelwyddau wrth y brenin a'r frenhines.

Felly chafodd y brenin a'r

frenhines druan byth wybod i ble'r aeth

eu baban.

Yn ei thŷ bach twt, roedd Mrs Cogyddes yn coginio cacennau a byns a phasteiod i'w gwerthu yn y dre.

Wrth i Hywel dyfu, dysgodd Mrs
Cogyddes ef i goginio. Dywedodd
wrtho. "Dilyna'r rysáit ac fe fydd dy
gacennau di'n hyfryd bob tro."

Weithiau byddai Hywel yn gwneud

cawl o bethau.

Meddai Mrs Cogyddes wrth Hywel, "Cofia feddwl wrth ddilyn y rysáit." Roedd hi'n iawn. Pan ddysgodd Hywel feddwl a dilyn y rysáit, roedd e'n coginio'n dda.

Hefyd dysgodd Mrs Cogyddes

Hywel sut i ymddwyn yn dda.

"Ymgryma'n isel pan fyddi di'n

cwrdd â dynion neu wragedd

bonheddig, Hywel.

"Cliria dy blât dy hunan a golcha'r

llestri bob amser, Hywel. Dyna

fachgen da."

Yna, un diwrnod, gwelodd Mrs Cogyddes yn y papur fod yr hen frenin wedi marw. Gwelodd lun o'r hen frenin ac edrychodd ar Hywel. Gwelodd y stori yn y papur fod baban y brenin ar goll ers blynyddoedd.

Ow-ow!

"Diawch!" meddai. "Hywel, 'machgen i, dw i'n credu dy fod ti'n dywysog!"

"Diawch erioed!" meddai Hywel.

Felly aeth Mrs Cogyddes â Hywel i'r palas ac egluro popeth i'r frenhines.

"Hywel!" meddai'r
Frenhines Marged.

Rhoddodd gwtsh iddo a'i gusanu

a dweud wrtho, "Ti fydd y brenin

newydd!"

Ond doedd Hywel ddim yn gwybod sut i ymddwyn fel brenin. Roedd e'n anghofio ei fod e'n ŵr bonheddig nawr.

Roedd e'n gwrtais, ond roedd e'n anghofio ei fod e'n frenin.

Ceisiodd Hywel fod yn dda.

Ond roedd hi'n anodd cofio

popeth.

Paid â gwneud hynna, cariad.

17

Gofynnodd y Frenhines Marged,

"Beth wnawn ni? Mae e'n anobeithiol!"

"Dydy e *ddim* yn anobeithiol!"

meddai Mrs Cogyddes. "Mae Hywel yn

dysgu'n gyflym, Eich Mawrhydi. Rhowch

gyfarwyddiadau clir iddo fe."

Felly cafodd y Frenhines Marged
sgwrs â'r Prif Weinidog. Gwnaethon
nhw lyfr o gyfarwyddiadau i Hywel.

"Rhyw fath o rysáit i dy wneud
di'n frenin yw e," meddai'r Frenhines
Marged wrtho.

Gwneud brenin

Cymerwch un bachgen neu fab o
waed brenhinol.

Golchwch ef i gael gwared
ar y baw i gyd.

Lapiwch ef mewn dillad crand a rhowch lawer o emau arno.

Rhowch ef ar orsedd.
Ychwanegwch un goron ar ei ben.

Roedd yna gyfarwyddiadau eraill
hefyd, ond doedden nhw ddim yn
gweithio bob tro. Er enghraifft,
"bwytewch â chyllell a fforc bob
amser".

Dywedodd Mrs Cogyddes wrth
Hywel, "Cofia feddwl wrth ddilyn y
rysáit!

"Paid byth â dweud 'diawch'.

Dwed 'mawredd mawr'."

Wrth i'r misoedd fynd heibio,

daeth Hywel yn frenin da.

"Mae'n bryd i Hywel briodi,"

meddai'r Frenhines Marged.

Felly gofynnodd Hywel i Gwen
fod yn wraig a brenhines iddo. Ac un
diwrnod dywedodd Gwen wrth
Hywel, "Rydyn ni'n mynd i
gael babi!"

Diawch!

Roedd y Brenin Hywel wrth ei fodd.
Roedd yr Hen Frenhines Marged wrth ei
bodd. Roedd Mrs Cogyddes wrth ei bodd
hefyd, ond roedd gair o gyngor ganddi.

"Hywel," meddai. "Gofala eich
bod chi'n cael sawl nani i ofalu am y
baban."

"Wrth gwrs," meddai
Hywel.

Lwcus iddyn nhw wneud hynny
achos roedd syrpreis yn eu disgwyl.

Waaa!

Dyma Nani Un yn dod o'r ystafell
wely a dweud wrth y Brenin Hywel,
"Mae merch fach hyfryd gyda chi!"

"O, gwych!" meddai Hywel.

Dyma Nani Dau'n dod allan.

"Mae gefeilliaid gyda chi!"

"Mawredd mawr!" meddai'r

Brenin Hywel.

Wedyn dyma Nani Tri'n dod allan.

"Merch fach arall, Eich

Mawrhydi. Mae tripledi gyda chi!"

"Diawch erioed!" meddai'r Brenin
Hywel a llewygu – bang! – ar y llawr.

Dyma Nani Un yn rhoi Babi Un i
lawr a mynd i helpu'r brenin. Dyma
Nani Dau yn rhoi Babi Dau i lawr a
mynd i helpu Nani Un. Dyma Nani
Tri yn rhoi Babi Tri i lawr a mynd i
godi Babi Un gan ei bod yn crio.

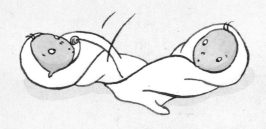

Dechreuodd Babi Tri grio, felly

cododd Nani Dau hi. Cododd

y Brenin Hywel

Babi Tri.

Aeth Nani Un i nôl clytiau.

"O, maen nhw i gyd yn hyfryd!"
meddai'r Frenhines Gwen. "Ond pa un
yw'r hynaf?"

"Yy, dydyn ni ddim yn gwybod," meddai Nani Un a Nani Dau a Nani Tri. "Sori."

"Felly pa un fydd y frenhines nesaf?"

Doedd neb yn gwybod.

Aeth y blynyddoedd heibio a
thyfodd y babanod.

Roedd y Dywysoges Catrin yn
annwyl a gwirion
a hyfryd.

Diawch!

Roedd y Dywysoges Heledd yn

gall a charedig a dibynadwy.

Wiii!

Roedd y Dywysoges

Alys yn glyfar ac yn llawn

hwyl a sbri.

Roedd y Brenin Hywel yn frenin da. Roedd yn defnyddio'i lyfr cyfarwyddiadau ac yn ceisio meddwl hefyd. Ond roedd Hywel yn ysu am wneud mwy o goginio. Felly dywedodd wrth y tywysogesau, "Dw i eisiau i un ohonoch chi fod yn frenhines nawr, er mwyn i mi ymddeol."

Ond pa un?

"Fe allaf i fod yn frenhines," meddai'r Dywysoges Heledd. "Dw i wedi bod yn dy wylio di'n gwneud y gwaith."

"Mae angen brenhines sy'n llawn hwyl a sbri fel fi!" meddai'r Dywysoges Alys.

"Beth amdanaf i?" meddai'r Dywysoges Catrin. "Hoffwn i wisgo coron fwy."

"O, diar," meddai'r Frenhines
Gwen. "Mae angen i ni ddewis yr un
orau am ddilyn cyfarwyddiadau,"
meddai'r Brenin Hywel. "Cofiwch,
rhaid i'r frenhines newydd allu dilyn y
rysáit am sut i fod yn frenhines. Fe
gewch chi brawf nawr.

Dewch, ferched, i lawr i'r gegin."

"O'r gorau," meddai Mrs
Cogyddes. "Gwisgwch eich ffedogau a
dilyn y rysáit a bydd eich cacennau
chi i gyd yn hyfryd. Bydd y gacen
orau'n cael ei bwyta ym mharti'r
coroni."

Ond doedden nhw ddim i gyd yn
hyfryd. Defnyddiodd y Dywysoges Alys
y math anghywir o flawd.

Defnyddiodd y Dywysoges
Catrin halen yn lle siwgr.

Ond roedd un gacen wir yn hyfryd.

Roedd pawb yn hoffi cacen y Dywysoges Heledd achos roedd hi wedi defnyddio siocled i'w gwneud hi – iym!

"Heledd sydd wedi ennill!" meddai'r Brenin Hywel. "Hi yw'r un sydd wedi cofio 'meddwl' wrth ddilyn y rysáit. Hi fydd y Frenhines newydd – y Frenhines Heledd!"

Roedd y Frenhines Heledd yn
frenhines dda iawn. Roedd ei
chwiorydd yn hapus hefyd.

Rwyt ti mor glyfar, Alys!

43

Ond beth am Hywel?

Roedd Hywel wrth ei fodd yn

coginio cacennau a phasteiod a byns.

Roedd y Frenhines Gwen yn hoffi ei

helpu i'w bwyta. Gyda'i gilydd,

ysgrifennon nhw lyfr ryseitiau newydd.

Rysáit Cacen Frenhinol Hywel

Bydd angen

250g o flawd codi

1 llwy de o bowdr codi

250g o fargarîn

250g o siwgr mân (caster)

4 wy wedi'u torri a'u curo

4 llwy fwrdd o laeth

jam neu hufen neu beth bynnag rwyt ti'n

ei hoffi i addurno'r gacen

Hefyd bydd angen powlen gymysgu, chwisg, llwy, clorian cegin, un tun pobi sbwng 18cm o ddyfnder a phapur coginio.

1)   Twymo'r ffwrn i nwy marc 3 neu 325°F neu 170° C.

2)   Iro a leinio'r tun â phapur coginio.

3)   Rhoi'r blawd drwy ogr ac i'r bowlen coginio.

4)   Ychwanegu'r siwgr, wyau, margarin a llaeth. Eu chwisgio gyda'i gilydd hyd nes eu bod yn llyfn.

5)   Arllwys y cymysgedd i'r tun pobi a'i daenu'n wastad.

6)   Gofyn i oedolyn roi'r tun yn y ffwrn.

7)   Pobi'r gacen am 30 i 40 munud, yna gofyn i oedolyn ei thynnu o'r ffwrn i oeri.

8)   Pan fydd y gacen wedi oeri, ei thynnu o'r tun. Wedyn gofyn i oedolyn dorri'r gacen yn ei hanner.

9)   Taenu jam neu hufen neu beth bynnag ar yr hanner gwaelod cyn rhoi'r ddau hanner yn ôl at ei gilydd.

10) Defnyddio ychydig o ddychymyg i addurno'r gacen. (Beth am wneud cacennau bach?)

47

11) Rhannu'r gacen â'r teulu neu ffrindiau. Iym sgrym!

ON Os wyt ti eisiau gwneud cacen fel un Heledd, ychwanega lwyaid o bowdr coco wedi'i ridyllu at y blawd.